JE VEUX LIRE

Minou copie tout

Olivia George

Illustrations de Brett Hudson

Texte français de Mireille Messier

Éditions
SCHOLASTIC

Catalogage avant publication de Bibliothèque et Archives Canada

George, Olivia
Minou copie tout / Olivia George;
illustrations de Brett Hudson;
texte français de Mireille Messier.

(Je veux lire)
Traduction de: Copy cat.
Pour les 3-6 ans.

ISBN-13: 978-0-439-94280-5
ISBN-10: 0-439-94280-2

I. Hudson, Brett II. Messier, Mireille, 1971- III. Titre.
IV. Collection: Je veux lire (Toronto, Ont.)

PZ23.G435 Mi 2007   j813'.6   C2006-905672-2

Édition publiée par les Éditions Scholastic, 604, rue King Ouest, Toronto (Ontario) M5V 1E1.

5 4 3 2 1   Imprimé au Canada   07 08 09 10 11

Note à l'intention des parents et des enseignants

Dès que l'enfant sait reconnaître les 62 mots utilisés
pour raconter cette histoire, il peut lire le livre en entier.
Ces 62 mots apparaissent tout au long de l'histoire pour que
les jeunes lecteurs puissent facilement les retrouver
et comprendre leur signification.

a	et	les	recevoir
à	étire	maintenant	regardez
aussi	eux	mangent	ronronnent
ça	faire	manger	sautent
câlin	font	me	sauter
câlins	grimpent	minou	sont
ce	grimper	moi	toi
chat	gros	nous	tous
chats	ici	ont	tout
comme	il	petit	trois
copie	ils	peut	un
copient	je	plaisir	venez
de	joindre	pour	veux
des	jouent	que	vous
disent	jouer	qui	y
du	laisse		

Ils ont du plaisir, les gros chats.

Ils sautent et ronronnent.

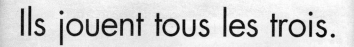

Ils jouent tous les trois.

« Je veux sauter et jouer comme ça! »

« Minou copie tout », disent
les gros chats.

Les gros chats grimpent.
Moi aussi, je veux grimper.

14

Les gros chats mangent.
Moi aussi, je veux manger.

« Regardez! Je m'étire comme vous! »

« Laisse-nous, Minou copie tout! »

Que peut faire un tout petit chat?

Mmm! Il peut recevoir un câlin de toi.

Les gros chats! Que font-ils ici?

Maintenant, ce sont eux qui me copient!

Venez vous joindre à moi.

29

Il y a aussi des câlins pour les gros chats!

JE VEUX LIRE

Des monstres!
Il faut ranger
Je choisis un ami
Je change la couleur des fleurs
Je sais lire
Je suis le roi!
Je suis malade
Je suis une princesse
Le nouveau bébé
Ma citrouille
Ma nouvelle ville
Mes camions
Minou copie tout
Mon gâteau d'anniversaire
Regarde bien
Rémi roulant
Si tu étais mon ami.